DARK, J'ADORE !

SCÉNARIO ET DESSIN : MIDAM
COULEURS : ANGÈLE

DUPUIS

Dépôt légal : août 2005 — D.2005/0089/174
ISBN 2-8001-3519-0
© Dupuis, 2005.
Tous droits réservés.
Imprimé en Belgique.
www.dupuis.com

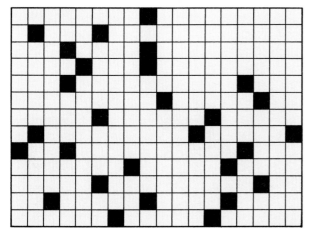

CINE

LOBOTOMIE ?SANS ANESTHÉSIE !

STRICTEMENT POUR ADULTES !

BON, CETTE FOIS, ON VA METTRE LE PAQUET ! ON VA ENFILER CET IMPER XXL À TROIS !

À TROIS?

COOL !

LE CAISSIER SE MÉFIERA MOINS D'UN GARS DE 2 MÈTRES !

SANS ÉCHELLE, ON N'Y ARRIVERA JAMAIS...

SUPER, J'AI TOUJOURS RÊVÉ D'ÊTRE BASKETTEUR !

ON N'A QU'À SE COUCHER POUR ENFILER L'IMPER ET PUIS ON SE RELÈVE !

MOUAIS, ON PEUT PEUT-ÊTRE TENTER...

BIENVENUE AU CAMPING "HORACE" !

BON, TOUT LE MONDE EST PRÊT ? OK, ON SE RELÈVE À 3 !

1

2..

VOUS NE VOUS SENTEZ PAS BIEN, MONSIEUR ?

?

?

SI, SI TOUT VA BIEN.

J'AI EU UN MATCH FATIGANT DE BASKET HIER ET JE ME REPOSE UN PEU...

EUH...JE VAIS ALLER VOUS CHERCHER UN VERRE D'EAU...

TRÈS BIEN.

C'EST LOUPÉ ! AMÈNE-TOI, HORACE !

BON, JE ME SENS MIEUX !

JE VOUS LAISSE, J'AI UN ENTRAÎNEMENT...

370

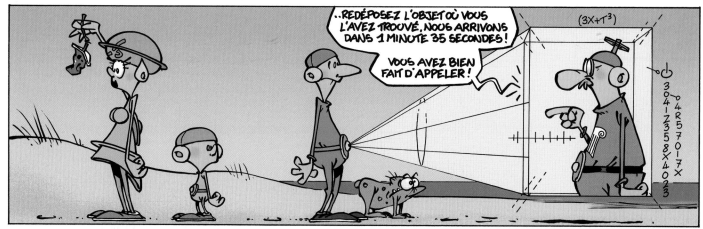

BONJOUR, JE SUIS L'INSPECTEUR PADDLE.

VOUS VENEZ POUR L'IDENTIFICATION, JE SUPPOSE ?

QUOI ?

OUI JE SAIS, C'EST UNE TÂCHE PÉNIBLE MAIS NÉCESSAIRE À L'ENQUÊTE.

QU'EST-CE QUE TU RACONTES ?

SI VOUS VOULEZ BIEN ME SUIVRE...

QU'EST-CE QUI SE PASSE ICI ?

AU BOULOT, LES GARS, ELLE VIENT POUR L'IDENTIFICATION DU DOSSIER MICROBLORK...

SI VOUS VOULEZ, VOUS POUVEZ VOUS FAIRE ASSISTER PAR NOTRE AIDE PSYCHOLOGIQUE.

JE TE PRÉVIENS, KID, SI C'EST ENCORE UNE DE TES CRÉTINERIES, ÇA VA CHAUFFER !

BONJOUR, MADAME, COURAGE, MADAME !

DOSSIER MICROBLORK, VOYONS VOIR...

JE VOUS PRÉVIENS, C'EST PAS JOLI-JOLI À VOIR !

L'AUTOPSIE N'A PU DÉTERMINER SI L'INDIVIDU A ÉTÉ DIGÉRÉ PAR UN BLORK OU PASSÉ AU MICRO-ONDES...

SOYEZ FORTE !

KLONG

AAAH ! MAIS C'EST MA POUPÉE CINDY ?!

C'EST BON, ÇA ! LAISSEZ SORTIR VOTRE DOULEUR !

T'AS MIS MA POUPÉE DANS LE MICRO-ONDES ? MAIS TU ES UN DANGEREUX MALADE ?!

LE MICRO-ONDES N'EST QU'UNE PISTE, M'AM...

HURLEZ, ÇA VOUS FERA DU BIEN !

CETTE FOIS-CI, TU VAS PAYER DE TA POCHE !

L'ENQUÊTE AVANCE, L'INDIVIDU S'APPELLE CINDY...

OUI, C'EST ÇA ! LÂCHEZ-VOUS, MADAME !

JE NOTE : C-I-N-D-Y...

TIENS ? ILS JOUENT DANS MON BUREAU... HA ! HA ! L'IMAGINATION DES ENFANTS EST INCROYABLE : UN BÊTE BUREAU DEVIENT VITE UN JARDIN ENCHANTÉ !

MORGUE

365

ON VA PASSER LE PORTAIL DE SÉCURITÉ ! VIDE TES POCHES DANS LE PETIT PANIER ET METS TON BAGAGE SUR LE TAPIS !

COOL !

GATES

BIIIIIIIIIIIIIIIIIP

TIENS ? JE BIP...

UN INSTANT, MONSIEUR.

AH OUI ! HÉ ! HÉ ! JE CROIS SAVOIR CE QUE C'EST !

JE NE ME SÉPARE JAMAIS...

..DE MON PETIT CALIBRE...

PROBLÈME PORTE 7 !

...MUNI DE SON CHARGEUR À BALLES PERFORANTES ET EXPLOSIVES !

VEUILLEZ NOUS SUIVRE SANS FAIRE D'HISTOIRE.

KLIK

PAS DE PANIQUE, LES GARS ! JE SUIS DE LA "MAISON".

MES PORTS D'ARME SONT ICI, AVEC MES LICENCES ET PERMIS DE TUER...

VRRRRRRRRR

SES PAPIERS ONT L'AIR D'ÊTRE EN RÈGLE...

DEPUIS MA MISSION SPÉCIALE AU VIET-NAM EN '72, ON EST INSÉPARABLES !

VIET-NAM ? '72 ?

AGENT SPÉCIAL PADDLE !

MANU ?

MANU ! BON SANG ! JE NE T'AVAIS PAS RECONNU AVEC CETTE CRAVATE !

RAVI DE VOUS SAVOIR TOUJOURS OPÉRATIONNEL, COMMANDANT !

ÇA VA, LES GARS, IL EST DE CHEZ NOUS !

COMMANDANT PADDLE, DIT "LE DINGUE" !

BLAM BLAM BLAM

HIIIIARR

MANO !

...DE MON PETIT PORTE-CLEF "COUTEAU SUISSE" !

LA PINCE À ONGLE EST TRÈS PRATIQUE !

PRENDRE L'AVION AVEC UN COUTEAU ?! VOUS ÊTES DINGUE OU QUOI ?

368

BONJOUR, CINDY!

BONJOUR, STEVE!

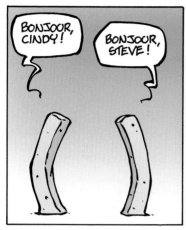

TIENS? QU'EST-CE QUE VOUS FAITES AVEC UNE MITRAILLEUSE DANS LES MAINS?

JE VIENS DE L'ACHETER! ELLE EST BELLE, NON?

OUI, MAIS C'EST POUR QUOI FAIRE?

POUR CHASSER! ON A DÉCIDÉ AVEC LES COPINES D'ALLER CHASSER DES CHATS POUR FAIRE DES MANTEAUX DE FOURRURE!

BONJOUR, STEVE!

SALUT, STEVE!

STEVE.

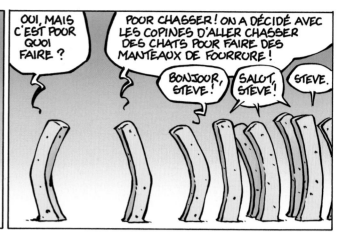

SALUT, LES FILLES!

EUH.. VOUS SAVEZ QUE C'EST TRÈS DANGEREUX, UNE MITRAILLEUSE?

ÉVIDEMMENT QU'ON LE SAIT! VOUS NOUS PRENEZ POUR DES CRUCHES, STEVE?

ON N'EST PAS IDIOTES QUAND MÊME!

POUR VOIR SI LA MITRAILLEUSE EST CHARGÉE, ON REGARDE DANS LE CANON, COMME CECI, ET...

JE ME COUCHE. C'EST PLUS PRUDENT...

VOUS ÊTES UN POLTRON, STEVE.

...ENSUITE ON APPUIE ICI OU ALORS LÀ.. NON, ICI..

ET BLAM

HIIIIIII!

COUCHEZ-VOUS, LES FILLES!

BLAM BLAM BLAM BLAM

BLAM

HIIIIIII

BLAMBLAM BLAMBLAMBLAM

HIIIIIII!

PUISQUE TU ES INCAPABLE DE MANGER PROPREMENT TES FRITES AVEC DU KETCHUP, TU LES MANGERAS AVEC DE LA MAYONNAISE!

POK

DÉSOLÉ.

BONJOUR, CINDY!

HOULÀ! VOTRE ABCÈS AU FRONT A ENCORE EMPIRÉ!

AH LA LA! NE M'EN PARLEZ PAS, STEVE!

369

on se retrouve enfin, moustachux! cette fois, je vais t'écrabouiller!

ouais, c'est ça!

hmm! bien essayé mais un peu trop prévisible!

Fichtre!

TOK

ha! ha! encore plus idiot! trouve autre chose!

tu vas payer ton arrogance!

RETOK

encore raté! hé! mais qu'est-ce que tu caches dans ton dos?

hé! hé! une petite surprise!

Coup de flanc tierce et parade

RERETOK

un déformateur de tronche à laser polarisé!

DZZZZZZ

Aaaah!

aargh! c'est horrible! rends-moi mon visage, moustachux!

on rigole déjà moins, hein? prends encore une dose!

DZZZ

non! pas cette tête ridicule! ordure!

t'en veux encore? tiens!

DZZZZ

argl! non!

t'es mignonne quand tu veux! tu me donneras l'adresse de ton coiffeur ha! ha!

ouf! heureusement que les effets sont provisoires! bon, tu vas m'obliger à utiliser ma magie...

n'importe quoi!

am stram gram, pic et pic et kilogrammes et...

tiens, prends ça, ça va te...

boum!

KLONG!

...calmer

sprotch!

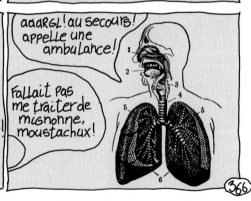

aaargl! au secours! appelle une ambulance!

Fallait pas me traiter de mignonne, moustachux!

1
2
3
4
5   5
6

③66

OUI, C'EST, MOI QUI LEUR AI PRÊTÉ MES ENCYCLOPÉDIES...

ELLES DATENT UN PEU, MAIS C'EST TOUJOURS PLUS INSTRUCTIF QUE LES JEUX VIDÉO OU LES BD!

NOTRE PREMIÈRE PAGE EST SUPER!

FAUDRA RÉUTILISER LE DÉFORMATEUR DE TRONCHE, ON A UNE RÉSERVE ILLIMITÉE!

INCROYABLE, CE TYPE A ÉTÉ PAPE?!

UNE PLACE POUR "LA VENGEANCE DE LA POSSESSION DÉMONIAQUE", S.V.P.!

HMM.. JE VOUS PRÉVIENS, C'EST UN FILM ASSEZ HARD...

SALLE 2

VENGEANS DE LA POSSESS DÉMONIAQUE

HORRIBLE!

LA CIBLE: CE CHEF-D'OEUVRE ENFANTS NON ADMIS.
L'ARME: CET IMPER XXL.
L'OPÉRATION: SE METTRE À 3 SOUS L'IMPER ET ACHETER UN TICKET

ON A DÉJÀ ESSAYÉ. ÇA MARCHE PAS...

INTERDIT AUX MOINS DE 18 ANS!

UN FILM TRÈS DUR AVEC DES SCÈNES ÉPOUVANTABLES!

BEN, CETTE FOIS, ÇA VA MARCHER!

ALLONS-Y, LE CAISSIER EST OCCUPÉ!

D'ABORD, ON SE COUCHE SUR LE TROTTOIR...

JE N'OUBLIERAI JAMAIS CETTE SCÈNE OÙ UN DÉMON PREND POSSESSION DE L'ÂME D'UN MALHEUREUX...

PARFAIT, MAINTENANT ON ENFILE L'IMPER...

HORACE AU-DESSUS, BIG BANG AU MILIEU ET MOI EN DESSOUS!

CE TYPE AVAIT DES SPASMES AFFREUX SUR TOUT LE CORPS MAIS LE PIRE...

ET HOP, ON SE RELÈVE!

...C'ÉTAIT SON RIRE! LE GENRE DE RIRE ATROCE QU'ON N'OUBLIE PLUS! DEPUIS, JE DORS ASSEZ MAL, ET...

J'AI DIT: HOP, ON SE RELÈVE!

BEN OUI, J'ESSAIE MAIS...

ARRÊTE, BIG, TU ME CHATOUILLES! HA! HA! KRRR! ARRÊTE!

SALLE 2

VENGEANS DE LA POSSESSION DÉMONIAQUE

HORRIBLE

SALLE 1

ALLEZ, ON Y EST PRESQUE!

JE TIENS LES PIEDS D'HORACE, MAIS...

NON, PAS LES PIEDS! AU SECOURS! ARGL! ARGL! KRR! KRR!

INTERDIT AUX MOINS DE 18 ANS!

372

SALUT, CAROLE !

AUJOURD'HUI, PAPA NOUS ACCOMPAGNE À L'ÉCOLE, C'EST LA RÉUNION DES PARENTS.

JE SUIS SÛR QU'IL VA ENCORE VOULOIR METTRE UNE CRAVATE ET QU'IL AURA ENCORE L'AIR RIDICULE !

SALE JOURNÉE !

OUAIP.

HOULÀ ! MAL DORMI, CAROLE ? TU AS AVALÉ UN PONEY ROSE DE TRAVERS ?

NE ME PARLE PAS DE CES SALETÉS DE POUPÉES, JE NE PEUX PLUS LES SENTIR ...

EUH... ÇA VA, CAROLE ?

JE N'AI JAMAIS ÉTÉ AUSSI BIEN ! J'AI JUSTE ENVIE D'EXPLOSER TOUS LES STUPIDES JOUETS DE CAROLE !

HEIN ?

TU NE T'ATTENDAIS PAS À ÇA, HEIN, MON PAUVRE KID ?

HA ! HA ! HA !

BON, ALLEZ ! ASSEZ RIGOLÉ !

SURPRISE !

P.. PAPA ?!

HA ! HA ! IL EST TEMPS QUE TU SACHES LA VÉRITÉ, KID !

TU N'AS JAMAIS EU DE SOEUR !

MAIS ENFIN.. CE N'EST PAS POSSIBLE ?!

HÉ SI ! COMME JE SUIS DE PETITE TAILLE, JE N'AI PAS EU DE MAL À JOUER LE RÔLE DE CAROLE...

MAIS... T.. TU N'AS JAMAIS ÉTÉ DE PETITE TAILLE ?!

N'EN RAJOUTE PAS, MERCI ! QUAND TU ES LÀ, JE MONTE SUR CES PROTHÈSES ARTICULÉES..

ET J'ENLÈVE CETTE ROBE GROTESQUE !

QUOI ? MAIS.. JE... MAIS POURQUOI ?

POURQUOI ?! PARCE QUE LA SOCIÉTÉ L'A DÉCIDÉ ! LES GENS BIEN-PENSANTS ! LE POLITIQUEMENT CORRECT !

ON A JUGÉ QUE POUR TON ÉQUILIBRE, IL VALAIT MIEUX QUE TU AIES UN PÈRE D'1 MÈTRE 80 ET UNE SOEUR.

JE DEVIENS FOU...

FOUTAISES !

373A

ATTENDS, TU NE VAS QUAND MÊME PAS ALLER À LA RÉUNION DES PARENTS COMME ÇA ?

POURQUOI ? TU AS HONTE DE TON PÈRE ?

TU LE TROUVES RIDICULE, C'EST ÇA ?

BON, PUISQUE C'EST COMME ÇA, PRENDS TON CARTABLE, ON Y VA IMMÉDIATEMENT !

BONJOUR ! JE SUIS LE PÈRE DE KID PADDLE !

LA RÉUNION DES PARENTS, C'EST ICI ?

BLORK BLORK BLORK

MMH ?

BIEN DORMI, KID ?

KID, JE SAIS QUE TU TROUVES ÇA RIDICULE, MAIS POUR LA RÉUNION DES PARENTS, JE METS UNE CRAVATE !

BEN...?!

QU'EST-CE QUE J'AI DIT ?!

373B

LE JAPON EST PROBABLEMENT UN PAYS MAGNIFIQUE, MONSIEUR TORIYAMA.

MAGNIFIQUE ET LOINTAIN.

QUE VENEZ-VOUS FAIRE SI LOIN DE VOTRE PAYS, MONSIEUR TORIYAMA ?

POUR QUI TRAVAILLEZ-VOUS ?

J'AIMERAIS VOUS PRÉSENTER À QUELQUES AMIS QUI VONT NOUS AIDER À VOIR PLUS CLAIR DANS TOUT ÇA...

DES GENS BEAUCOUP MOINS COMPRÉHENSIFS QUE MOI...

LAISSEZ PASSER !

BOULETTES D'ENGRAIS SUPER PUANTES !

GNNNNNN

VOUS POUVEZ ARRÊTER CETTE HORREUR, TORIYAMA ! SOYEZ RAISONNABLE, DITES-NOUS POUR QUI VOUS TRAVAILLEZ !

CHHHH

BON.

TRÈS BIEN.

VOUS NE ME LAISSEZ PAS LE CHOIX, MON VIEUX...

BIG, IL EST À TOI...

MONSIEUR TORIYAMA, SACHEZ QUE JE NE FAIS PAS CE TRAVAIL DE GAIETÉ DE COEUR,

MAIS QUAND JE FAIS UN TRAVAIL...

...JE LE FAIS BIEN.

KLING
KLING
KLING
KLING

BONNE IDÉE DE LEUR AVOIR ACHETÉ UN BONGAÏ AVEC SON KIT D'ENTRETIEN, ÇA LES OCCUPE !

EN PLUS, ILS LUI PARLENT, BON POUR LA PLANTE, ÇA !

375

HA! HA! NON, AU SECOURS! NE ME PIQUEZ PAS, JE VOUS EN SUPPLIE!

HA! HA!

HA! HA! ALLEZ LES ENFANTS, IL EST L'HEURE D'ALLER SE COUCHER ET PAPA DOIT ALLER TRAVAILLER!

BONNE NUIT, P'PA!

BON TRAVAIL, P'PA!

N'Y VA PAS!

QUOI?

J'AI...J'AI UN MAUVAIS PRESSENTIMENT POUR CE SOIR!

N'Y VA PAS, STEVE!

RESTE ICI!

MAIS QU'EST-CE QUI TE PREND, GLADYS?! JE NE CRAINS RIEN, VOYONS!

CE N'EST PAS MON PREMIER VOL!

OUI, JE SAIS.. ET SI TU RESTAIS À LA MAISON CE SOIR? RIEN QUE CE SOIR!

AVEC MOI!

AVEC NOUS!

HA! HA! GLADYS, TU ES TELLEMENT MIGNONNE QUAND TU T'EN FAIS POUR MOI!

TU SAIS QUE JE N'AIME PAS CES VOLS DE NUIT!

ÉCOUTE, DÉTENDS-TOI EN REGARDANT UN FILM DE VAMPIRES, PRENDS UN BAIN CHAUD ET VA DORMIR ... ET DEMAIN MATIN, JE SERAI LÀ, EN PLEINE FORME!

D'AC..D'ACCORD!

JE TÉLÉPHONERAI DEMAIN À MON COUSIN D'AMAZONIE, DES VACANCES TE FERONT DU BIEN!

ALLEZ, AU BOULOT!

JE T'AIME!

382

BOOF

RIEN À FAIRE, C'EST NUL !

JE TAPE PAS ASSEZ FORT...

C'EST PAS UNE QUESTION DE FORCE !

HIT THE BLORK!

C'EST UNE QUESTION DE CONCENTRATION, TU N'ES PAS ASSEZ CONCENTRÉ !

AH ? COMME LE JUS D'ORANGE ?

KLONG

HIT THE BL

ABSOLUMENT ! DANS MON COURS DE KUNG-FU PAR CORRESPONDANCE, ON PREND DES TOMATES, MAIS C'EST PAREIL !

C'EST UN COURS DE KUNG-FU OU UN COURS DE CUISINE ?

IL FAUT SE METTRE À NU DEVANT LA CIBLE... LA CIBLE AIME LA SINCÉRITÉ !

N'IMPORTE QUOI !

HIT THE BLORK!

ON NE TROMPE JAMAIS LA CIBLE.

KAAAWASAKI

LE NU EST LA SINCÉRITÉ DU CORPS...

QUAND ON FRAPPE UNE CIBLE, IL FAUT FAIRE LE NU DANS SA TÊTE.

FAIRE ABSTRACTION DE TOUT CE QUI N'EST PAS L'ARME OU LA CIBLE, TU DOIS.

GRAT GRAT GRAT

POUR LA DÉMONSTRATION, L'ARME SERA CET INNOCENT BOUT DE BOIS...

ET LA CIBLE SERA...

378A

SALUT, P'PA!

MMM.. ÇA SENT LE PAIN GRILLÉ !

OUI, KID.

JE FAIS GRILLER DU PAIN.

Rrrrrrrrr

AH ? ET... JE PEUX EN AVOIR ?

BIEN ENTENDU.

DÈS QU'IL SERA PRÊT.

DANS QUELQUES INSTANTS.

TU PARLES BIZARRE ...

C'EST PARCE QUE

JE SUIS

TRÈS

CONCENTRÉ

SI TU TENDS L'OREILLE, TU ENTENDRAS LE PETIT RESSORT DU GRILLE-PAIN QUI SE DÉTEND LENTEMENT.

JE L'ÉCOUTE.

Rrrrrrrr

UNE FRACTION DE SECONDE AVANT L'ÉJECTION DES TOASTS, CE BRUIT S'ARRÊTE, ET...

Rrrrrrrrrrrra

Rrrrrrrrrr

DZING

TSHAK

KLONG

J'AURAIS PU EN MÊME TEMPS LANCER 2 TRANCHES DE JAMBON, MAIS JE MANQUE UN PEU D'ENTRAÎNEMENT...

COOL !

REGARDE KID, JE VAIS ATTRAPER LES TOASTS AU VOL !

Rrrrrrr

KLONG

MAIS C'EST SUPER CHAUD, CE TRUC !

3/6

IL EST SYMPA CE JEU !
OUI MAIS ASSEZ COMPLIQUÉ !
JE N'AI JAMAIS DÉPASSÉ LE PREMIER NIVEAU...
BLAM BLAM

IL Y A COMBIEN DE NIVEAUX ?
PLEIN ! ON PEUT Y RESTER DES HEURES...
BLORK
AARGLL

UN JEU QUI ASSOCIE RÉFLEXION ET ACTION, C'EST SUPER !
BEN OUI ! ET APRÈS, QU'ON VIENNE PAS ME DIRE QUE LES JEUX VIDÉO RENDENT IDIOT !
BLAM BLAM

ET QU'EST-CE QU'IL FAUT FAIRE AU JUSTE ?
EXPLOSER LA TÊTE DES BLORKS...
AARGLL
1×C

...POUR LEUR EXTIRPER LA CERVELLE. APRÈS 150 KG DE CERVELLE, TU PASSES AU 2E NIVEAU !
BLAM BLAM

...OU 100 MÈTRES DE TRIPES, ÇA MARCHE AUSSI !
AH BON ?

...MAIS JE N'AI AUCUNE IDÉE DE CE QU'IL FAUT FAIRE AU 2E NIVEAU !
QUELQUE CHOSE AVEC CETTE CERVELLE, MAIS QUOI ?

RÉFLÉCHISSONS.

...FINALEMENT, IL FALLAIT LAISSER POURRIR LA CERVELLE. QUAND ON A 500 ASTICOTS, ON PASSE AU 3E NIVEAU !
EST-CE QUE QUELQU'UN T'A DEMANDÉ DE RACONTER TA JOURNÉE ?
362

BONJOUR, DEUX FRITES, S.V.P.!

QUELLE SAUCE?

QU'EST-CE QUE VOUS AVEZ?

OH, UN PEU DE TOUT: MAYONNAISE, KETCHUP, COCKTAIL...

HA! HA! HA!

N'IMPORTE QUOI!

?

SOYONS SÉRIEUX. ÇA, CE SONT DES SAUCES POUR FILLETTE À SA MAMAN!

DONNEZ-NOUS QUELQUE CHOSE DE FORT!

DE FORT?!

EUH... J'AI UNE SAUCE PILI-PILI... JE VAIS VOUS FAIRE GOÛTER

MMH... MOUAIS, PAS MAUVAIS...

JE LA VENDS BIEN!

C'EST UNE BONNE SAUCE BIEN RELEVÉE!

GNN... MAIS.. QUE?

MON DIEU!

C'EST TRÈS TRÈS PIQUANT?!

OUF! OUF!

BEN OUI... VOUS M'AVEZ DEMANDÉ UNE SAUCE PIQUANTE!

VOUS RIGOLEZ OU QUOI? C'EST DU FLAN, CETTE SAUCE! DONNEZ-MOI QUELQUE CHOSE DE PLUS FORT!

J'AI AUSSI CETTE SAUCE À BASE DE PIMENTS MEXICAINS, MAIS JE VOUS PRÉVIENS, C'EST DU SOLIDE!

PAS POUR QUELQU'UN QUI A FAIT 3 ANS DE PLACARD À MEXICO.

DONNEZ TOUJOURS..

QU'ON RIGOLE!

RIDICULE. J'UTILISE LES PIMENTS MEXICAINS EN SUPPOSITOIRE, ÇA FORTIFIE!

AUTRE CHOSE?

BEN, J'AI AUSSI UNE SAUCE AU NAPALM...

AAH! LÀ, TU COMMENCES À ME PARLER! C'EST CE QUE JE PRENDS AU PETIT DÉJEUNER EN MOINS FORT!

J'AI AUSSI LA XR-3, ON L'UTILISE EN RUSSIE POUR DÉBOUCHER LES W.C. DES GOULAGS!

ON N'A RIEN DE PLUS FORT...

MANGA!

GNNNN! ÇA, C'EST DE LA SAUCE D'HOMME!

TRIPLE PORTION POUR CHACUN!

DEUX BONNES PETITES MAYONNAISES FERONT L'AFFAIRE!

ÇA ROULE!

385

HELLO, LES COWPAINS !

KOT KOT KOT
-DZZIIING
WAZAAA!
KOT

SORRY, JE NE PAAS TWÉÉÉ BIEN PAWLER LE FRWANÇAIS ...

MÉÉÉ, J'AYME BOWCOUP VENIR JOUÉÉÉ ICIII ...

.. SURWTOUT AVEC CE GAME !

RODEO

AH OUI! JE CROIS QUE J'AI COMPRIS! IL ESSAIE D'IMITER L'ACCENT AMÉRICAIN!

OH, YEAH! JE SOUIS AMÉÉRWICAIN !

ET JE LOVE RODÉO !

C'EST LE SPÉCIALITÉÉÉ DE MON COUNTRY !

COME ON, BABY !

HIIIIIIIHAAAA!

YEAH! YEAH! YEAH !

TCHIKA TCHIKA TCHIKA TCHIKA

WOW !

BLONG BLONG BLONG

SBREOM!

MA MACHWOIR VA MIEOUX... PARW CONTRWE, IMPOSSIBEL DE PARWLER NORWMALEMENT ...

OH, NON! PAS ENCORWE DU MILK-SHAKE !

J'AI ENCORE ÉTÉ VOUS CHERCHER ON MILK-SHAKE, CE N'EST PAS TOUS LES JOURS QUE J'AI UN PATIENT AMÉRICAIN !

381

MON LOOK ?! BEN, C'EST DU GOTHIQUE. POURQUOI ?

C'EST SUPER COOL ! ÇA CONSISTE EN QUOI EXACTEMENT ?

D'ABORD, ON S'HABILLE EN NOIR.

LE ROUGE EST ADMIS MAIS ON PRÉFÉRERA LE MAUVE.

LE MAQUILLAGE EST TRÈS IMPORTANT : SOMBRE POUR LES YEUX, LES LÈVRES, LES ONGLES, PÂLE POUR LE VISAGE.

ON A LU TOUS LES LIVRES SUR LES VAMPIRES ET ON ADORE LES HISTOIRES DE MAGIE NOIRE.

IL EXISTE AUSSI PLEIN DE PETITS BIJOUX AMUSANTS DONT LES GOTHICS RAFFOLENT...

ON EST ADEPTE DU PIERCING !

NEZ, OREILLES, LANGUE ET MÊME L'ARCADE !

...ET ON ADORE TRAÎNER DANS DES ENDROITS LUGUBRES.

.. LE TOUT EN ESSAYANT DE NE PAS EN FAIRE DE TROP !

BOOF

POP!

1 MÈTRE 30 !
PAS TERRIBLE
. . .

MOUAIS
. . .

MPFFF

BOOF

GNNN

POP!

1 MÈTRE 45 !
LÉGÈREMENT
MIEUX...

386

SALUT, CAROLE !

SALUT.

PAPA NE DÉJEUNE PAS AVEC NOUS ?

SI, SI.

AH ? OÙ ÇA ?

ICI

AAAAH ! NON ! PAS ENCORE CE RÊVE IDIOT !

SURPRIS ? BIZARRE, ON EN A DÉJÀ PARLÉ POURTANT !

RÉVEILLE-TOI ! RÉVEILLE-TOI ! RÉVEILLE-TOI !

BOM BOM BOM

TU DOIS TE RENDRE À L'ÉVIDENCE, KID. TU N'AS JAMAIS EU DE SŒUR.

JE RÊVE.

NON, TU NE RÊVES PAS ! LA PREUVE : TU NE NOUS AS JAMAIS VUS ENSEMBLE, CAROLE ET MOI !

ENSEMBLE ? MAIS SI, JE...

NON, KID ! TU NE M'AS JAMAIS VU UNE SEULE FOIS DANS LA MÊME PIÈCE QUE CAROLE !

RÉFLÉCHIS BIEN !

MAIS SI !

AH OUI, JE COMPRENDS ! TU AS ÉTÉ ABUSÉ PAR MON EXCELLENT PETIT STRATAGÈME...

387B

AH, LA VOILÀ !

QU'EST-CE QUI SE PASSE ?

C'EST UN CAS UN PEU PARTICULIER. COMME MA SOEUR REFUSE DE SE LAVER DEPUIS 3 SEMAINES, MON PÈRE ET MOI AVONS DÉCIDÉ DE LA METTRE SOUS UNE CLOCHE EN VERRE... À CAUSE DES ODEURS.

COMME UN FROMAGE ?

ABSOLUMENT !

LA CLOCHE EST INVISIBLE MAIS ON SENT TRÈS BIEN LES PAROIS AVEC LES MAINS !

ON ENLÈVERA LA CLOCHE QUAND ELLE PRENDRA UN BAIN À L'EAU DE JAVEL..

TIENS ? IL Y A QUELQUE CHOSE ICI ?

AH ? IL Y A UNE PETITE FENÊTRE DE CE CÔTÉ ?!

SNIF ? SNIF ? MAIS.. MAIS... MAIS L'ODEUR EST ATROCE !

JE VEUX SENTIR ! JE VEUX SENTIR !

EOH... KID, POUSSE PAS TROP QUAND MÊME !

AAAAARGH ! IL FAUT REFERMER CETTE FENÊTRE !

ÇA Y EST !

JE SENS ! JE SENS !

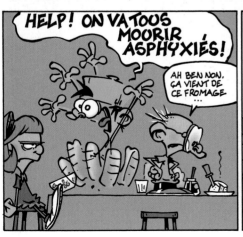

HELP ! ON VA TOUS MOURIR ASPHYXIÉS !

AH BEN NON, ÇA VIENT DE CE FROMAGE...

OUPS

BROM

SALUT, CAROLE ! ALORS, QUOI DE NEUF CE MATIN ?

OH, RIEN DE SPÉCIAL...

LA ROUTINE...

38l

ON EST ENTOURÉS DE GENS QUI DISENT DES STUPIDITÉS !

J'AI TROUVÉ UN MOYEN DE RÉGLER LEUR COMPTE EN TOUTE DISCRÉTION...

BON, DÉMONSTRATION.

BIG BANG, DIS LA PREMIÈRE BÊTISE QUI TE PASSE PAR LA TÊTE !

EUH... JE NE SAIS PAS...

ATTENDS...

HÉ KID, SI ON PRENAIT DES COURS DE DANSE CLASSIQUE ?

BLAM !

BON, ÇA A LE MÉRITE D'ÊTRE CLAIR MAIS CE N'EST PAS TRÈS DISCRET. D'ACCORD ?

BEN OUI, ON RISQUE MÊME DES REPRÉSAILLES, SURTOUT SI LE GARS FAIT 100 KILOS !

MÊME 95 KILOS !

DANS CE CAS, ON PEUT UTILISER LA TECHNIQUE DU SILENCIEUX !

BIG, DIS UNE AUTRE STUPIDITÉ !

EUH... OH, NON ! JE N'AI PLUS DE CONFITURE DE ROSE ! QU'EST-CE QUE JE VAIS MANGER ?!

JE CROIS QU'IL M'EN RESTE UN POT.

HIIIIII HIIIIII HIIIIII

?

FUMP

MOUAIS, PAS MAL...

MAIS ON RISQUE QUAND MÊME D'AVOIR DES ENNUIS !

LA CLASSE !

JUSTE !

C'EST POURQUOI JE PROPOSE QU'ON GARDE UNIQUEMENT LE VISSAGE DU SILENCIEUX !

VU !

COOL !

AH NON !

PAS DE PIZZA NI DE HAMBURGER AUJOURD'HUI !

ON EN MANGE TROP !

J'AI FAIT DU BON POISSON AVEC DES LÉGUMES FRAIS DU MARCHÉ !

MIAM !

TU VAS TE RÉGALER, KID !

HIIIIII HIIIIII HIIIIII

« L'ÊTRE ET LE NÉANT »
DE JEAN-PAUL
SARTRE,
S'IL VOUS PLAÎT !

BIBLIOTHÈQUE

HI\\\\
HI\\\\
HI\\\\

AH BEN NON !
JE N'AI PLUS DE
SUCRE D'ORGE
BANANE-KIWI...
JE N'AI PLUS
QUE CEUX
GOÛT FRAISE !

HI\\\\
HI\\\\

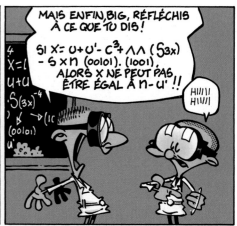

MAIS ENFIN, BIG, RÉFLÉCHIS
À CE QUE TU DIS !
SI $X = U + U' - C^3 \wedge \wedge (S_{3x})$
$- 5 \times n$ (00101). (1001),
ALORS X NE PEUT PAS
ÊTRE ÉGAL À n - u' !!

HI\\\\
HI\\\\

ON DIT QUE LORSQUE JEAN SANS PEUR
EST MORT, ON FUT INCAPABLE DE LUI
FERMER LES YEUX, D'AILLEURS QUAND
ON OUVRIT SON CERCUEIL, 50 ANS PLUS
TARD, IL... ENFIN, PASSONS...
ANALYSONS PLUTÔT SON RÔLE
GÉOPOLITIQUE DANS LA FRANCE DU
XVᵉ SIÈCLE !

HI\\\\
HI\\\\
HI\\\\
HI\\\\
HI\\\\
HI\\\\
HI\\\\
HI\\\\

IL EST
ICI.

RIKIKI

COIN !
COIN !
?

C'EST UN JEU
PARTICULIÈREMENT
IDIOT SUR LEQUEL
PERSONNE NE
JOUE...

TRÈS
MAUVAISE
RENTABILITÉ !

RIKIKI

PAS DE PROBLÈME.
JE LE REPRENDS
IMMÉDIATEMENT
ET JE VOUS LE
REMPLACE PAR
UN AUTRE.

HI\\\\
HI\\\\

HI\\\\! HI\\\\!
FOMP! FOMP!
BLAM BLAM!
BLAM!

306c

J'AI
CRAQUÉ.

RIKIKI

HI\\\\
HI\\\\
HI\\\\

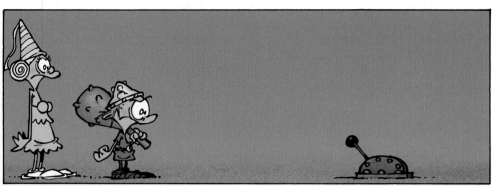

LE SERIAL PLAYER
SÉVIT CHAQUE SEMAINE DANS

SPiROU
ET SUR
SPiROU.COM